Santa Corn

Cyhoeddwyd gyntaf yn 2015 gan Wasg Gomer, Llandysul, Ceredigion, SA44 4JL
www.gomer.co.uk

ISBN: 978 1 84851 758 5

Cyhoeddwyd gyda chymorth ariannol Cyngor Llyfrau Cymru.

Argraffwyd a rhwymwyd yng Nghymru gan Wasg Gomer, Llandysul, Ceredigion.

Santa Corn

Ceri Wyn Jones

Lluniau gan Andy Catling

Gomer

Lawr o'r atig yn llawn hwyl
daeth y blwch sy'n dal yr ŵyl,
ac roedd cyffwrdd ymyl hwn
bron fel dal y byd yn grwn.

Yn y blwch mae clychau pur,
eira glas ac awyr glir;
addurniadau mawr a mân,
sanau gwag i'r silff ben tân.

Yn y blwch mae winc fach slei,
oglau carw a mins-pei;
yn y bocs mae hefyd lun –
llun mawr coch o'r Dyn ei Hun.

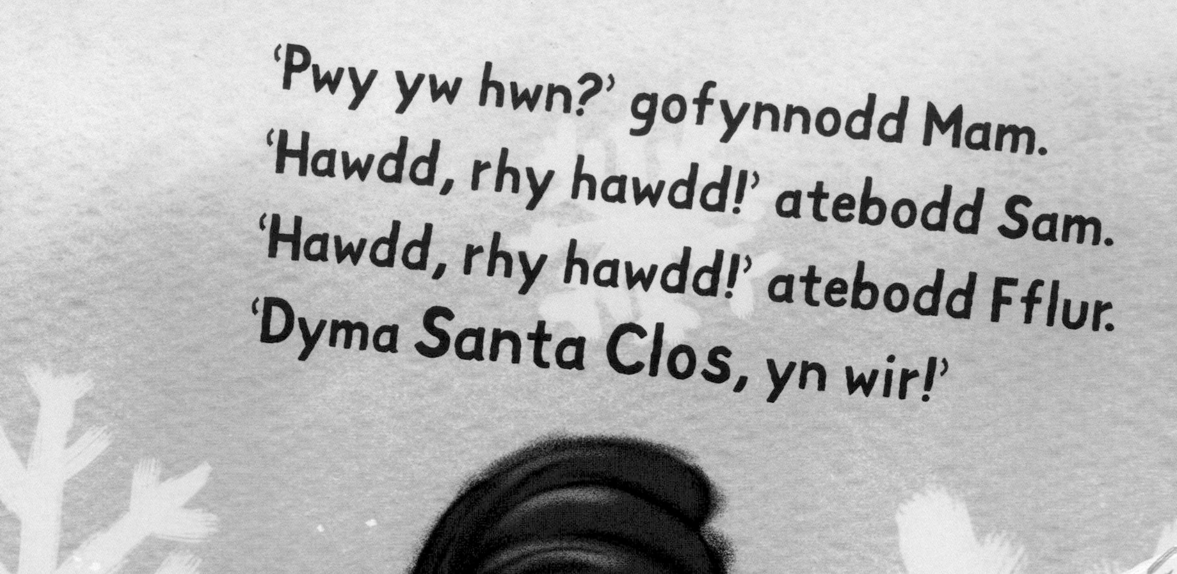

'Pwy yw hwn?' gofynnodd Mam.
'Hawdd, rhy hawdd!' atebodd Sam.
'Hawdd, rhy hawdd!' atebodd Fflur.
'Dyma Santa Clos, yn wir!'

'Nage ddim, fy annwyl chwaer,'
gwaeddodd Sam (drwy dinsel aur).
'Enw'r dyn â'r farf a'r bol
yw Siôn Corn, heb air o lol.'

Santa Clos!
Siôn Corn yw e!

SANTA CLOS!
SIÔN CORN!
Nô wê!

‘**Sam a Fflur,**’ taranodd Mam.
‘Pam mae angen dadlau? Pam?
Peidiwch bod fel ci a hwch –
neu i’r atig aiff y blwch!’

‘Sori, sori,’ meddai’r ddau, ond ymlaen yr aeth y ffrae

mewn sibrydion ac mewn gwg, ac mewn ambell ystum ddrwg.

Holodd Mam, bron iawn yn flin,
'Beth am ddanfon gair yr un
at y ddau mor fawr eu sôn:
un at **Santa**, un at **Siôn?**'

'Halaf i at Santa Clos,'
meddai Fflur, 'cyn cysgu'r nos.'

'At Siôn Corn yr halaf nawr,'
meddai Sam, yn gyffro mawr.

Rhestrodd Fflur ei llond llaw twt
o anrhegion yn ei phwt.

Rhestrodd Sam ryw gant a saith
o anrhegion mewn pwt maith.

Halwyd drannoeth, er y gost,
y ddau lythyr yn y post
at y ddau mor fawr eu sôn:
pwt at **Santa**, pwt at **Siôn**.

Fe fu disgwyl mawr am hir
ond fe ddaeth y Noswyl glir
ac fe roddwyd bob o blat
o fins-peis o flaen y grat.

Plat i Santa, plat i Siôn,
plat i brofi yn y bôn

p'un o'r ddau a ddeuai'n iach
lawr y simne'n ddistaw bach.

'Dydd Nadolig!' gwaeddodd Sam.
'Deffra, Fflur! Dewch, Dad a Mam!'
Lawr â nhw i'r stafell fyw
lle roedd sanau o bob lliw.

Sanau'n llawn anrhegion hael a phob un yn werth ei chael,
ac roedd nodyn distaw bach ar bob anrheg ddaeth o'r sach.

Ar rai Sam, yr oedd yn glir

yn wir;

ar rai Fflur, yr oedd heb ffws
enw 'Santa Clos' – a sws!

Holai'r ddau o flaen y grat
beth oedd hanes y ddau blat:
un yn wag, a'r llall yn llawn –
a neb yn siŵr pwy oedd yn iawn!

Meddai Dad, 'A welwch nawr
nad oedd angen dadlau mawr?
Yr un un yw Santa Clos
a Siôn Corn yng nghanol nos.'

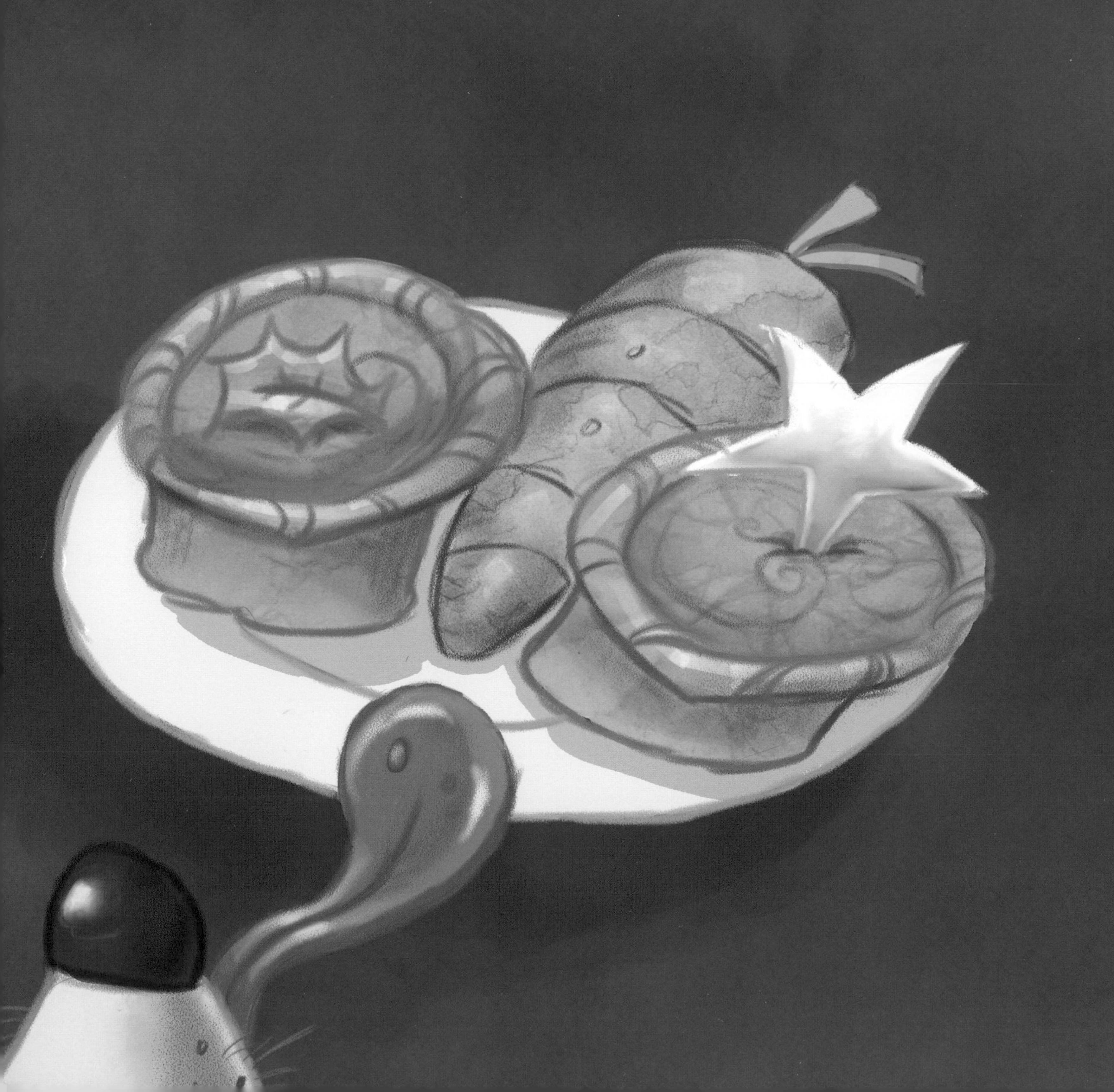